Para Celina, mi hija

Mínima Animalia

reloj de versos

Esta primera edición se coedita con la

 Dirección General de Publicaciones
del Consejo Nacional para la Cultura y las Artes.

Primera edición, junio 1991.
ISBN 968-494-047-5

Impreso en México / *Printed in Mexico*.

Reproducción fotográfica: Pablo Esteva

Efraín Bartolomé

Mínima Animalia

Ilustraciones de Marisol Fernández

ARAÑA
(Réplica amable a José Juan Tablada)

Recorriendo su tela
esta araña negrísima
tiene a la Luna en vela.

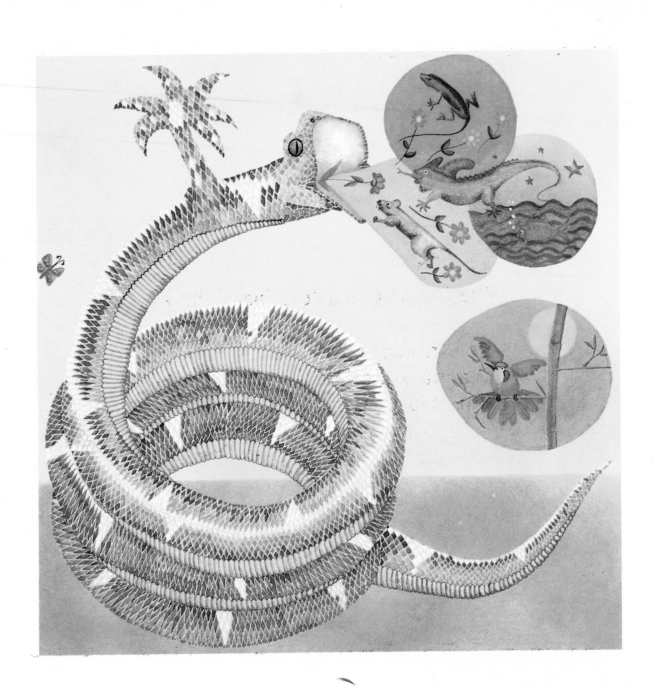

BOA

Abre la boa su garganta infinita
y traga todo el asombro que la mira.
Luego,

    plácidamente,

        se enrosca y sueña

futuras fechorías.

CAMELLO

Bebe desiertos y calor.
Acumula espejismos de arena
en sus jorobas.

GUACAMAYAS

Esos frutos maduros
de la fronda más alta.

JAGUAR

Un sol del tacto

Por la intrincada selva de mis nervios
lo miro caminar

Perfecto hijo del día y de la joven sombra

Suave centella:
silencioso paseante de mis venas.

JIRAFA

Como un remolino de hojas secas
la jirafa se eleva
                          lentamente.
Sobre la copa de los árboles
comienza a ramonear
                          nubes tiernas.

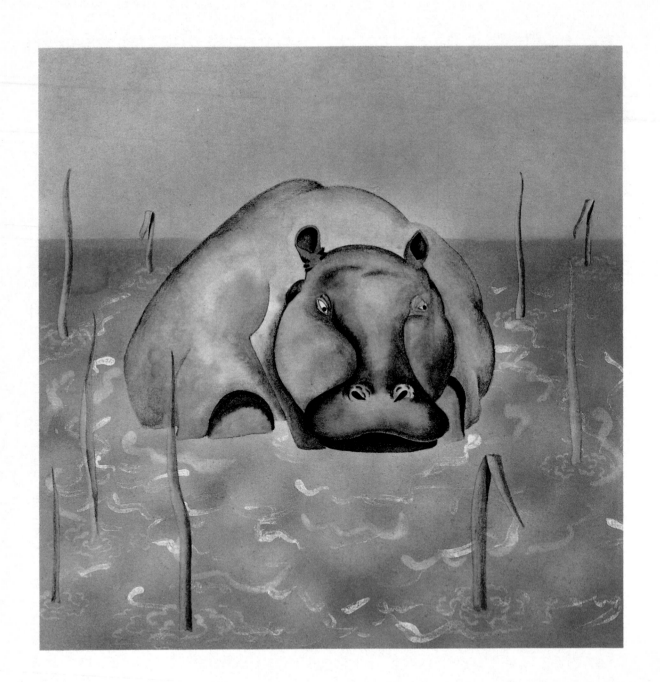

HIPOPOTAMO

¿Qué rencoroso dios
te construyó,
          hipopótamo,
tan perfecta fealdad?

LUZ EN VUELO   MARIPOSA

Chispas del día,
pedacitos de sol,
las mariposas amarillas.

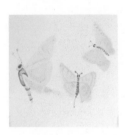

QUETZAL

El principio de todos los arcoiris
es un quetzal que sueña.

ZOPILOTE REY

"En las más altas cumbres hace frío", pensó.
Y se puso a soñar un arcoiris
para cubrir con él su calva venerable.

Mínima Animalia se acabó de imprimir en el mes de septiembre
de 1991, en los talleres de Editorial y Litografía Regina de los
Ángeles, S.A. Avenida Trece 101-L, C.P. 03660, México, D.F.
El tiraje fue de diez mil ejemplares.